小北极熊

[荷]汉斯·比尔 著　罗娜 译　飞思少儿科普出版中心 监制

AHOY THERE, LITTLE POLAR BEAR

嗨，小北极熊

电子工业出版社

Publishing House of Electronics Industry

北京·BEIJING

内 容 简 介

宝儿是头勇于冒险探索和渴望友情的小北极熊，和真实世界里的小朋友心意相通。

北极的生活本来是简单乏味的，一头白色小北极熊，在冰天雪地里闯荡，怎么变化出一个又一个的惊险曲折而色彩缤纷的故事呢？窍门就在于冒险和友情。

宝儿的冒险历程有很多，包括闯进科学家的实验室，乘探险队的气球上天，被渔船带到城市，登上火车逃避大风雪，坐在鲸鱼或海象背上漫游海港和热带岛屿，等等。每次探险宝儿都会结识一位新朋友，比如小兔子、小老虎、小雪橇狗、小海雀、小猫咪、小棕熊、小白鲸等。可爱的宝儿喜欢帮助朋友，在患难中大家互相扶持，绝不独自逃生，脱险后才各自归家，友情恒久存于心头。

KLEINER EISBÄR, KOMM BALD WIEDER!

by Beer Hans de

©1988 NordSüd Verlag AG Gossau Zurich / Switzerland

本书中文简体版专有出版权由 NordSüd Verlag AG 授予电子工业出版社，未经许可，不得以任何方式复制或抄袭本书的任何部分。

版权贸易合同登记号 图字：01-2006-4548

图书在版编目（CIP）数据

嗨，小北极熊 /（荷）比尔（Beer, H.D.）著；罗娜译 . — 北京：电子工业出版社，2010.11
（小北极熊）
书名原文：AHOY THERE, LITTLE POLAR BEAR
ISBN 978-7-121-11846-3

Ⅰ . ①嗨… Ⅱ . ①比… ②罗… Ⅲ . ①童话—荷兰—现代 Ⅳ . ① I563.88

中国版本图书馆 CIP 数据核字（2010）第 181361 号

责任编辑：郭 晶 赵 静 徐艳丽
印　　刷：北京画中画印刷有限公司
装　　订：北京画中画印刷有限公司
出版发行：电子工业出版社
　　　　　北京市海淀区万寿路173信箱 邮编：100036
开　　本：787×1092　1/16　印张：8　字数：204.8千字
印　　次：2013年11月第4次印刷
定　　价：51.20元（全套4册）

凡所购买电子工业出版社图书有缺损问题，请向购买书店调换。若书店售缺，请与本社发行部联系，联系及邮购电话：（010）88254888。
质量投诉请发邮件至zlts@phei.com.cn，盗版侵权举报请发邮件至dbqq@phei.com.cn。
服务热线：（010）88258888。

　　小北极熊宝儿和它的爸爸、妈妈一起住在北极附近，那里所有的东西都是雪白雪白的。
　　虽然宝儿常常一个人玩儿，但是它很快乐。

　　一天，宝儿游泳游得离家太远了，这时，可怕的
事情发生了。宝儿的脚被什么东西缠住了，它被拉到
了很深的海里，然后又被猛地拉了出来。

　　原来它被罩在一张巨大的渔网里了！

　　宝儿"砰"的一声被重重地甩在甲板上，晕了过去。等它醒来的时候，它不知道自己是在哪儿。它的头顶上有一架梯子，于是宝儿就顺着滑溜溜的梯子爬了上去。

宝儿慢慢地走过长长的走廊，这儿看上去一个人也没有。突然，它身后发出了沙沙的响声，宝儿惊奇地转过头，发现两只大眼睛正紧紧地盯着它。它拼命地逃走了。

　　当它认为自己终于安全了的时候，一个声音响起来："别害怕，我叫尼莫，是这艘船上的猫，欢迎你！"
　　宝儿抬头看着面前这只动物，它看上去非常友好，有着一身橘黄色的毛。宝儿看得出来，尼莫是个信得过的朋友。

"我叫宝儿，"小北极熊自我介绍，"我想尽快回家。"

"恐怕不太可能，至少你没法马上到家。"尼莫说，"你家离这儿远着呢。"

"那我们现在在哪儿？"宝儿问。

"我们在一艘轮船上，正在返回港口的路上。等我们到了那里，我带你去见一些朋友，没准儿它们能帮上什么忙。不过，现在我们先吃点东西怎么样？我觉得你一定很饿了。"

宝儿吃饱后，感觉好多了。它蜷在尼莫身旁，很快进入了梦乡。

　　一觉醒来，尼莫把宝儿带上了甲板。"看啊！"
尼莫把手指向海平面，那里发着光，亮闪闪的，"那
里就是港口，我们马上就到了。"

　　宝儿非常激动，它等不及了，真希望马上就到岸边。

　　船一靠岸，宝儿就迫不及待地跟着尼莫悄悄地从
甲板走到了通往港口的木板上。

　　"尽量不要引起别人注意。"尼莫小声说。

　　木板另一头的情景让宝儿大吃一惊，那里看上去
又脏又乱。

　　"这儿确实不怎么干净。"尼莫叹了口气，"我们
得赶紧走了，你跟紧我，街上很危险的。"

　　当它俩穿过街道和胡同的时候，宝儿发现自己洁
白的皮毛变得越来越脏了。它多希望自己现在已经回
到北极的家里了呀。

　　宝儿跟着尼莫在篱笆和墙头上走，经过长途跋涉，
它已经筋疲力尽了。

终于，尼莫停了下来。

"我们到了。"尼莫说，"你在这儿等我一会儿。"

那个地方非常暗，好多双眼睛盯着宝儿，它紧张极了。

原来，那是许多只猫的眼睛，它们和尼莫一样很友好。

猫咪们听了宝儿的事情后，表情显得很严肃。它们考虑了几分钟，然后一只黑白相间的花猫站了出来，它说："我叫强尼，也住在轮船上。明天我的船要启程去北极。我们得赶在天亮前登上船。"

　　宝儿、尼莫和强尼不得不顺着街道和胡同跑回港口。宝儿太激动了，因为它马上就能回家了。它高兴得都忘了注意路上来往的汽车，差点儿被一辆大卡车撞到。

　　宝儿赶上了轮船，它只能匆匆向尼莫告别，因为很快就要开船了。那真是一个伤心的时刻。

　　对宝儿来说，船上的时间过得飞快。没有多久，它就在海平面上发现了熟悉的景物。"快看那儿，强尼！"宝儿兴奋得叫起来，"那就是北极，它多干净多白啊！我原来也和它一样干净、一样白的。"

　　那天晚上，等船抛了锚，宝儿和强尼告别后，就向北极美丽的白色岸边出发了。

　　宝儿在海里游泳，海水把它的皮毛冲洗得干干净净。一上岸，宝儿就快步跑向自己的家，在那儿，它的爸爸、妈妈一定很惦记它。

宝儿终于见到爸爸、妈妈了。宝儿给它们讲了自己的冒险经历，它们都吃惊地张大了嘴。

　　"尼莫看起来就是这样的。"宝儿一边解释着，一边努力地模仿猫的模样。虽然，宝儿的爸爸、妈妈还是不怎么明白，不过它们很开心宝儿能平平安安地回家，所以也就不太在意它扮得像不像了。那天晚上，一家三口紧紧地依偎在一起睡着了。

　　从那天以后，宝儿的爸爸经常看见宝儿盯着海平面看。"你在找什么呢？"它问宝儿。

　　"我在等轮船，"宝儿说，"还有猫。没准儿哪天会有一只猫跳下船来看望我们的。"